LES OISEAUX

POUR LES FAIRE CONNAITRE AUX ENFANTS DE 5 A 8 ANS

Conception
Émilie BEAUMONT

Images
Lindsey SELLEY

ÉDITIONS FLEURUS, 11, rue Duguay-Trouin 75006 PARIS

DES OISEAUX DE LAC ET DE RIVIÈRE

Le héron

Il est reconnaissable à ses grandes pattes et à son long cou terminé par un bec pointu. On peut l'apercevoir au milieu des étangs, immobile sur une patte, en train de guetter les poissons. Il se sert de ses pattes comme d'échasses, pour marcher sur le fond sans être mouillé. Le héron fait son nid en haut des arbres : c'est un gros amas de branches qu'il agrandit d'année en année. Le héron pourpré, lui, niche dans les roseaux, au-dessus de l'eau.

La poule d'eau

Elle mesure environ 30 cm de long. Son corps est bien dodu et sa tête très foncée possède un superbe bec rouge

.erminé par un peu de jaune. Elle se
ıourrit des herbes qu'elle trouve dans
'eau ou dans les prés, mais elle
ıttrape aussi des insectes et elle
'affole des mûres qu'elle peut picorer
à l'automne. Elle est difficile à
ıpercevoir, car elle se cache dans
es roseaux ou au milieu d'autres
ɔlantes aquatiques. En revanche, on
ɔeut l'identifier facilement, car son cri
est caractéristique : "Kurrck !"

héron pourpré

Le martin-pêcheur

Cet oiseau pêche des poissons. Bien installé sur son perchoir, il fixe la surface de l'eau. Dès qu'il aperçoit un poisson, il fonce comme une flèche, plonge, saisit sa proie et remonte sur une branche ou un rocher. Les plus gros poissons sont assommés contre une branche. Son nid est un simple trou dans la berge.

La fauvette des roseaux

La fauvette a le bec fin et court, ce qui lui permet d'attraper des insectes, des araignées ou des larves sous l'écorce des arbres. Elle construit son nid dans les roseaux. Pendant que les oisillons restent bien au chaud dans le nid, le papa les surveille, tout en chantant à plein gosier. Son chant est fait de sifflets et de bourdonnements.

LE CYGNE

Le cygne est un grand oiseau qui vit sur l'eau. On peut l'apercevoir lorsqu'il nage sur les lacs ou les rivières. Il a de grandes pattes palmées (ses doigts de pied sont en effet reliés par une sorte de peau). Le cygne se nourrit surtout d'herbes et de plantes, mais aussi de petits poissons, de bébés grenouilles et d'insectes. Son envol est un beau spectacle : comme cet oiseau est lourd, il doit courir sur l'eau un certain temps avant de pouvoir s'envoler en agitant ses grandes ailes. Sur terre, le cygne est plutôt maladroit : il marche en se dandinant.

Le cygne noir

Le cygne noir est moins répandu que le blanc, mais il est tout aussi grand. Comme les autres cygnes, c'est un oiseau bruyant, qui émet des sons. Il siffle, ronfle et donne l'impression de jouer de la trompette. Chez les cygnes, le couple reste uni pendant toute sa vie.

Les cygnes sont agressifs

Les mâles défendent leur territoire et protègent leurs petits des "étrangers" qui oseraient trop s'approcher. Pour montrer leur colère, ils gonflent leurs ailes au-dessus de leur dos, puis se mettent à crier et à trépigner des deux pattes à la fois. Quand une lutte s'engage, chaque oiseau essaie de mordre l'autre ou de lui maintenir la tête sous l'eau. Parfois, le combat se termine par la mort d'un des cygnes.

Reproduction

Pendant la période des amours, le mâle et la femelle exécutent de véritables ballets nautiques. Face à face, ils se caressent les joues et balancent leur cou. Après l'accouplement, la femelle va pondre entre 5 et 12 œufs. Elle les dépose dans un nid qu'elle construit dans les roseaux ou sur la rive avec des brindilles et des plantes qui poussent dans l'eau. Quand les petits naissent ils sont tout gris, et ce n'est que vers l'âge de trois ans qu'ils deviendront blancs.

LE FLAMANT ROSE

Le flamant rose vit dans les régions chaudes. C'est un très bel oiseau aux longues pattes, qui peut mesurer jusqu'à 1,20 m, alors qu'à sa naissance il ne dépasse pas les 10 cm. Les petits sont recouverts d'un duvet blanc grisâtre et leur bec est tout droit. Il ne se recourbera que plus tard. Le flamant est rose car il se nourrit d'algues et de petits crustacés contenant des colorants roses qui passent dans ses plumes et les teintent. Certains flamants sont plus roses que d'autres : cela dépend de leur nourriture.

Quel envol !

Le flamant rose ne reste jamais seul, il vit en colonie de plusieurs centaines d'oiseaux, rassemblés dans les eaux peu profondes des marais salants, des lacs ou des rivières. Lorsqu'ils sont dérangés, les flamants s'éloignent d'abord à pas lents. Mais si le danger se rapproche, ils se mettent alors à courir de plus en plus vite, puis ils ouvrent leurs ailes et s'envolent.

Un drôle de bec !

Le flamant rose a un bec très spécial : il est conçu de telle manière que l'oiseau peut filtrer l'eau boueuse qu'il avale et garder ainsi les crevettes, les tout petits crustacés ou les insectes aquatiques dont il se nourrit.

Un nid de boue

Le mâle et la femelle construisent ensemble le nid. Ils entassent des couches de boue les unes sur les autres pour former une sorte de pâté, au sommet duquel ils creusent un trou. La femelle dépose en général un seul œuf, parfois deux, dans le nid. Les petits sont nourris avec un genre de bouillie rouge, que leurs parents préparent dans leur bec.

LA CIGOGNE

La cigogne fait partie de la famille des échassiers, c'est-à-dire des oiseaux à longues pattes. Celles-ci, ainsi que son bec, sont d'un beau rouge vif. La cigogne blanche est la plus connue : elle réapparaît chaque année, toujours dans la même région. Des habitants déposent des supports spéciaux, comme des roues ou des caisses, afin que les cigognes puissent s'installer plus facilement. Il existe une cigogne noire, avec le bec et les pattes rouges, mais elle est beaucoup plus rare et elle ne niche pas près des habitations. Elle préfère, en effet, le sommet des grands arbres.

La construction du nid

La cigogne blanche préfère construire son nid, non pas dans les arbres, mais sur les toits ou sur les cheminées des maisons. Fait de brindilles, le nid est sans cesse agrandi et il peut devenir gigantesque !

Une cigogne géante : le marabout

Ce grand oiseau africain est de la même famille que les cigognes. Il se nourrit des restes d'animaux morts et on le trouve souvent en compagnie des vautours et des chacals.

Les cigognes sont des oiseaux migrateurs

En automne, quand le temps devient plus frais, les cigognes quittent les régions où elles ont donné naissance à leurs petits pour des pays plus chauds. Elles sont obligées de partir pour ne pas mourir de faim. En effet, en hiver, les petits animaux dont elles se nourrissent, comme les grenouilles, se cachent dans le sol et s'endorment, alors que d'autres meurent. Quand les cigognes volent, elles ont leur cou bien tendu.

La vie de famille

Papa et maman cigogne s'occupent bien de leurs petits. Ils élèvent trois ou quatre cigogneaux par an. Ils les protègent contre le mauvais temps et le soleil en ouvrant leurs ailes au-dessus d'eux. Les petits s'entraînent à voler autour du nid plusieurs fois par jour, avant de prendre leur grand envol. Les cigognes se nourrissent de vipères ou de couleuvres, de grenouilles, d'escargots et d'insectes.

L'AUTRUCHE

C'est le plus grand et le plus gros de tous les oiseaux. Il est plus haut qu'un homme et peut peser jusqu'à 150 kg. Mais ce bel oiseau, qui a pourtant des ailes magnifiques, ne peut pas voler. En revanche, il court très vite et ses pattes sont bien développées. Ce sont d'ailleurs des armes redoutables pour éloigner les ennemis : elles sont en effet munies de doigts terminés par des ongles épais et coupants comme des poignards ! Le mâle a la réputation d'avoir un mauvais caractère. Autrefois, les plumes d'autruche ornaient les chapeaux.

Qui va gagner ?

Lorsqu'elles ont peur et qu'elles sentent un danger, les autruches se mettent à courir. Elles sont capables d'aller très vite : jusqu'à 60 km/h !

Une réputation de glouton

L'autruche se nourrit surtout de feuilles, de fruits et de petits animaux comme les lézards. Certains prétendent qu'elle est capable d'avaler n'importe quoi, même des boîtes de conserve ! C'est peut-être exagéré, mais c'est vrai qu'il faut se méfier lorsqu'on s'en approche, dans les zoos. Elle est capable, par exemple, d'avaler le nœud qu'une petite fille a dans les cheveux ! L'autruche mange aussi beaucoup de sable pour faciliter sa digestion.

Reproduction

Le mâle a entre 3 et 5 femelles. Chacune va pondre de 6 à 8 œufs dans le même nid, qui est un simple trou dans le sol. Après la ponte, la femelle la plus forte chasse les autres et reste seule pour couver les œufs avec le mâle. Un œuf d'autruche est très lourd : il pèse environ le même poids que 30 œufs de poule. Il est plus gros qu'un pamplemousse.

La femelle protège son nid

Lorsqu'elle sent un danger s'approcher de son nid, l'autruche hérisse ses plumes et ouvre ses ailes pour impressionner son ennemi. Afin de protéger ses petits des chauds rayons du soleil, elle se place souvent au-dessus du nid pour leur faire de l'ombre.

DES OISEAUX DE MER

Le manchot

Cet oiseau habillé de noir et de blanc ne sait pas voler, mais il nage très bien et très vite : une vraie fusée ! Il se sert de ses ailes comme de nageoires. Le corps du manchot est recouvert d'une bonne couche de graisse et de nombreuses petites plumes imperméables. Ainsi, bien protégé, il peut nager sans avoir froid dans les eaux glacées. Le manchot se nourrit de krill (crustacés microscopiques) et de petits poissons. Ses ennemis sont les orques et les phoques-léopards.

Les mouettes

Les mouettes sont les plus connus des oiseaux de mer. On les trouve partout le long des côtes. Elles vivent en groupes et s'installent sur les falaises ou les rochers, mais aussi sur les toits et les cheminées des maisons. C'est extraordinaire de les voir décoller toutes ensemble, comme si elles obéissaient à un mystérieux signal. Leurs piaillements sont une façon de communiquer entre elles. Elles se nourrissent de déchets et de petits poissons.

Le pélican

Le bec du pélican est muni d'une poche élastique qui lui permet d'attraper les poissons comme avec une épuisette. Dès que maman pélican rentre de la pêche, les petits glissent leur tête dans son grand bec pour se nourrir. Les pélicans vivent en groupes.

Le macareux

Cet oiseau est très doué pour entasser les poissons en travers de son bec. Il en porte chaque fois 8 à 10. Il est capable d'ouvrir son bec pour attraper un poisson sans faire tomber ceux qu'il a déjà capturés ! Le macareux, dont le nom latin signifie "petit frère du nord", est un oiseau très gentil. Son nid est une sorte de galerie qu'il creuse dans la falaise.

DES PERROQUETS

Il existe de nombreuses espèces de perroquets, dont la plupart sont très colorées. Leur bec, le plus souvent crochu, est très robuste, et leurs pattes sont munies de quatre doigts : 2 dirigés vers l'avant et 2 dirigés vers l'arrière, ce qui leur permet de bien s'accrocher aux branches et de grimper aux arbres sans difficulté. La majorité des perroquets vit dans les forêts des pays chauds. On les rencontre en bandes, cherchant leur nourriture surtout le matin, car, l'après-midi, il fait trop chaud et ils font la sieste ! Ils se nourrissent de fruits et de graines.

Les inséparables

Ce sont de petits perroquets : ils mesurent environ 10 cm. On les appelle ainsi parce que le mâle et la femelle passent leur temps serrés l'un contre l'autre.

Le cacatoès

Les cacatoès sont en général blancs, mais il existe une espèce toute noire. Ils ont une touffe de plumes sur le dessus de la tête, qu'ils redressent lorsqu'ils sont excités ou en colère. Ils font leur nid dans des trous d'arbres. Ce sont des oiseaux qui crient beaucoup.

Les aras

Ce sont des oiseaux magnifiques par la richesse des couleurs de leurs plumes. Ci-contre, vous pouvez admirer un ara rouge et un ara bleu. De nombreux aras ont été chassés pour leur plumage. Ces oiseaux peuvent vivre très longtemps, certains plus de 60 ans. Ils sont capables d'imiter la voix de l'homme.

Le kéa

Ce perroquet, qui vit en Nouvelle-Zélande a le bec moins recourbé que celui des autres perroquets. D'une belle couleur vert olive, le kéa vit dans les régions de montagne et construit son nid dans des trous de rochers. En général, il se nourrit de graines, de fruits et d'insectes, mais, en automne, il descend dans les vallées et s'en prend aux moutons. Il leur griffe la peau du dos pour dévorer la graisse qui entoure leurs reins. Le pauvre mouton en meurt le plus souvent.

DES OISEAUX DE LA FORÊT

La mésange bleue

Très vorace, elle avale tous les jours son propre poids de nourriture. Elle aime les insectes, mais, en hiver, quand ils se font rares, elle se nourrit de graines et de graisse, laissées souvent à son intention par des enfants. La mésange est drôle à observer, car elle est toujours agitée, occupée à chercher ce qu'elle pourrait bien manger.

le bouvreuil pivoine

Le bouvreuil pivoine

De la taille d'un gros moineau, le mâle a le ventre rose vif, et la femelle gris rosé. Il se nourrit de graines, de bourgeons, qu'il adore, et aussi d'insectes. La femelle pond deux fois dans l'année 4 ou 5 œufs. Le bouvreuil peut s'apprivoiser et il apprend facilement à chanter.

Le geai

A peu près de la taille d'un pigeon, c'est un oiseau timide, difficile à apercevoir. Son chant ressemble à un miaulement, sauf au printemps

la mésange

le pinson

il chante d'une voix douce et
élodieuse.

e pinson des arbres

pinson représenté ci-dessus est
mâle ; la femelle a des couleurs
us ternes. En hiver, cet oiseau vit
groupe. A la saison des nids, en
vanche, il se choisit un territoire
ur sa femelle et ses petits et il se
et à chanter à longueur de journée
ur bien prévenir les autres de ne
s s'aventurer chez lui.

le geai

Le pic-vert

Très bon grimpeur, le pic-vert s'accroche aux troncs d'arbres grâce à ses pattes munies de 2 doigts dirigés vers l'avant, de 2 doigts dirigés vers l'arrière et prolongés par de fortes griffes. Avec son bec très solide, il déniche les insectes cachés dans l'écorce des arbres. On a alors l'impression qu'il cogne le tronc.

Le rouge-gorge

Un peu plus petit qu'un moineau, cet oiseau est facile à reconnaître au rouge qu'il a sur sa poitrine et sur ses joues. Il passe une bonne partie de son temps au sol et se déplace en sautillant. Le rouge-gorge installe son nid dans les terriers ou dans de simples trous creusés dans les talus. Il chante souvent, installé en haut d'un arbre.

QUELQUES RAPACES

Les hiboux

Contrairement aux autres rapaces de cette page, les hiboux chassent la nuit. Les hiboux entendent très bien, ce qui leur permet de détecter le moindre bruit fait par un animal, et ainsi de le localiser afin de l'attraper. Un autre avantage : les hiboux volent sans faire de bruit. Il leur est alors très facile de surprendre leurs proies. Certains chassent surtout les lapins, les rats, les corneilles, les grenouilles et de nombreux insectes ; d'autres, comme le moyen duc (ci-contre), se nourrissent principalement de mulots.
Les hiboux avalent leurs proies en entier, mais, comme ils ne peuvent pas digérer les plumes, ou les poils, et les os, ils les recrachent sous forme de petites boules.

Le faucon pèlerin

C'est un grand chasseur, doté d'une vue perçante, capable d'apercevoir une proie à plusieurs kilomètres. Quand il l'a repérée, il fonce dessus à grande vitesse, les ailes collées le long de son corps, et l'attrape avec ses grandes griffes. Il fait parfois son nid dans les creux de parois rocheuses.

L'aigle royal (ci-dessous)

Ce grand seigneur de la montagne devient rare. Il a beaucoup été chassé, car il avait une très mauvaise réputation. On l'accusait, par exemple, de la disparition des moutons et des chiens. Or un aigle ne peut soulever une proie plus lourde que lui, soit environ 5 ou 6 kg. L'aigle royal est néanmoins un excellent chasseur, qui attrape des rats, des fouines et d'autres petits rongeurs. Il construit son nid, constitué d'un énorme tas de branches, très haut sur la montagne, dans un endroit inaccessible. Un ou deux aiglons naissent par an.

Le condor des Andes

C'est le plus grand et le plus lourd des oiseaux volants. Il vit en Amérique du Sud. Il ressemble un peu au vautour, avec sa tête et son cou dépourvus de plumes. Comme lui, il se nourrit de charognes, mais il s'en prend aussi à de petits animaux vivants, comme les agneaux, les jeunes lamas et même parfois les oiseaux. Sa reproduction est lente, car la femelle ne pond un œuf que tous les deux ans ; de plus, elle ne peut avoir de petits qu'à partir de l'âge de six ans.

DES OISEAUX DES CHAMPS

Le faisan

C'est un très bel oiseau avec une longue queue, des ailes courtes et arrondies. Le mâle a de plus belles couleurs que la femelle. Le faisan fait son nid à même le sol, dans un petit trou garni de feuilles et d'herbes. Ses pattes sont munies de doigts et de griffes pointues, dont il se sert pour gratter la terre, à la recherche de sa nourriture : graines, insectes, lézards, vers, escargots... Il mange aussi des racines.

La perdrix

Le nid de la perdrix est bien caché. En effet, il est installé au milieu des champs, dans le creux des sillons. A l'approche des moissons, la perdrix et ses petits quittent le nid, qui sera alors détruit par les moissonneuses.

L'alouette des champs

Ce petit volatile a une queue allongée et une touffe de plumes, souvent dressée, au-dessus de la tête. Creusé dans le sol, son nid est tapissé de feuilles et de brindilles. L'alouette pond de 3 à 6 œufs

la corneille

deux fois par an. C'est un oiseau qui chante presque toute l'année.

La corneille

C'est un oiseau tout noir de la tête aux pattes. Le mâle et la femelle participent à la construction du nid, qui est constitué de petites branches fines mélangées à des brins d'herbe et tapissé de mousse. Après leur naissance, les petits sont nourris d'aliments prédigérés par le mâle ; ensuite, ils mangent des insectes, des vers de terre et de petits oiseaux. Les corneilles font souvent de gros dégâts dans les champs, car elles se régalent des graines semées par les fermiers.

l'alouette des champs

Les cailles

Camouflées dans les champs, les cailles doivent faire face à de nombreux ennemis, comme les renards, les serpents et certains rapaces. Toujours rassemblées en petits groupes familiaux, elles picorent les graines et mangent les mauvaises herbes. Vers le mois de septembre, elles migrent en direction des pays chauds et attendent le printemps pour réapparaître.

Le verdier

Le verdier a fait des bosquets, des haies et des broussailles son territoire. A petits coups d'ailes rapides, il va grappiller quelques graines dans les champs voisins. Ce petit gourmand recherche également les araignées, les fourmis et les pucerons. Facilement reconnaissables à leur couleur vert olive, les verdiers se rassemblent souvent, au coucher du soleil, en haut des grands arbres, avant de piquer bien vite vers un buisson où ils s'endormiront.

DES OISEAUX DES VILLES

L'hirondelle

C'est un des oiseaux des villes les plus connus et les plus aimés. Quand arrive le printemps, l'hirondelle réapparaît, après avoir passé l'hiver dans des pays chauds. Elle se met à construire un nid bien solide, fait de brindilles et de paille, cimenté avec de la boue. Le plus souvent, elle fixe son nid sous les toits. Quand les petits naissent, ils sont très affamés et leurs parents passent toutes leurs journées à les nourrir d'insectes. Ils s'envoleront trois semaines après leur naissance.

Le moineau

C'est un petit oiseau très répandu, au ventre bien rond, qui se reproduit rapidement.

Le pigeon

C'est en ville que les pigeons trouvent les meilleurs endroits pour nicher. Ces oiseaux, devenus citadins, se sont très vite adaptés au voisinage de l'homme, et ils n'hésitent pas à envahir les places et les jardins. Souvent, ils gonflent leur cou et émettent alors un roucoulement facilement reconnaissable.

La femelle peut couver, jusqu'à 4 fois par an, 5 ou 6 œufs.
Le moineau vit souvent en bande. Il a un gros appétit et se nourrit de fruits, de graines et d'insectes. Il n'est pas toujours l'ami des jardiniers, car, au printemps, il se régale des bourgeons d'arbres et des tiges de jeunes plantes !

Le merle

C'est un oiseau très familier, dont on entend le chant dès le mois de février ou de mars. On peut l'apercevoir dans les jardins ou sur les pelouses des parcs. Il se déplace sur le sol par petits bonds successifs. Les fruits, particulièrement les fraises et les groseilles, sont sa nourriture préférée, mais il mange aussi les insectes ou les vers de terre et, parfois, les petits escargots.

L'étourneau

Ce bel oiseau est devenu très impopulaire, parce qu'il vit en troupe et souille les rebords des fenêtres et les murs. De plus, il est très bruyant et les piaillements de plusieurs centaines d'oiseaux sont difficiles à supporter, surtout lorsqu'ils arrivent à dominer le vacarme de la circulation routière !

TABLE DES MATIÈRES

ISBN : 2-215-03-006-2

Dépôt légal : octobre 1992
Imprimé en Italie.